KU-104-146
SLOB A BLOB
HELÔ, BLANT BACH
HELÔ HELÔ HELÔ
IE NEL!
TEYRNAS Y TYLWYTH TEG
TWM O'R DANT
Y BLA BLA BLA
YNYS YR IFANC
Y BEIBL
LLYFR PINC NEB
Y BWBACH
Y GOFOD
CYSGOD Y CRWBAN
DANIEL AWEN
LLYFR HWYL Y BOLFA
BW!
DINAS DAN Y DŴR
CWM Y CEWRI
LEWIS
CIP!
Afallon
JIMI PEN GLÔ
TEULU NANT POETH
RALI'R GOFOD
PWCA
SNAP
OI!

Diolch i Joe Watson (joewatsonillustration.com) am helpu gyda'r lliwio, i Meinir Wyn Edwards am olygu, ac i Luned, Eos ac Olwen am y cwmni llon.

Argraffiad cyntaf: 2020

Rhif Llyfr Rhyngwladol: 978 1 78461 954 1

Dymuna'r cyhoeddwyr gydnabod cymorth ariannol Cyngor Llyfrau Cymru.
Cyhoeddwyd ac argraffwyd yng Nghymru ar bapur o goedwigoedd cynaliadwy gan

Y Lolfa Cyf.,
Talybont,
Ceredigion
SY24 5HE
e-bost ylolfa@ylolfa.com
gwefan www.ylolfa.com
ffôn 01970 832 304
ffacs 01970 832 782

BLE MAE BOC?
AR GOLL YN Y CHWEDLAU

FFÔN HUD!
MLOP
HANES YR WY
GERALLT BANJO
TWDLAN
Y SGAMP
WDLAN AR DEWIN DWP
LLYFR GLAS ARALL
ABC Y BYD
ABC
SBLASH
CRASH
BANG
POP
NOAH
AAA AAA!
...AA AAAA!
BAAA!
FFLOP
SLOP!
PLOP
CLOP
HUW
HOHO
Y MABINOGI

BLE MAE BOC?

AR GOLL YN Y CHWEDLAU

gan

Huw Aaron

LLIO Y LLYFRGELLYDD YDW I - AC MAE HEDDIW WEDI BOD YN DDIWRNOD RHYFEDD IAWN!

DYMA BOC – DRAIG FACH SY'N CHWILFRYDIG AM Y BYD A'I BETHAU, OND SY'N AML YN MYND AR GOLL.

ROEDD BOC AM DDYSGU MWY AM STRAEON A CHWEDLAU CYMRU, FELLY DAETH I'R LLE GORAU I WNEUD HYNNY - Y LLYFRGELL!

OND HEB IDDI WYBOD, ROEDD BARRI A BLODWEN, YR HELWYR DREIGIAU CAS, YN EI DILYN. ALLWCH CHI EU GWELD NHW?

CASGLODD BOC BENTWR O LYFRAU I'W DARLLEN...

ENW: BOC RHIF: 23423
RHESTR BENTHYCIADAU

Llyfr Hud a Lledrith
Y Mabinogi
Dinas Dan y Dŵr
Pentref yr Hwiangerddi
Teyrnas y Tylwyth Teg
Yr Helfa Fawr
Ynys yr Ifanc
Sw Angenfilod
Arswyd Annwn
Cwm y Cewri
Parti Llyfrau Plant
Ble Mae Boc?

OND Y BROBLEM GYDA HEN LYFRAU AM HUD A LLEDRITH YW BOD YR HUD YN GALLU TREIDDIO ALLAN OHONYN NHW.
WRTH I BOC AGOR Y LLYFR, DYMA'R HUD YN EI SUGNO HI, A'R LLYFRAU ERAILL, I MEWN IDDO!
AC I WNEUD PETHAU'N WAETH FYTH, CAFODD BLODWEN A BARRI EU SUGNO I MEWN I'R LLYFR HEFYD!
O DIAR! DWI WEDI COLLI TRI O YMWELWYR A DEG O LYFRAU. DWI ANGEN EICH HELP!
BLE MAE'R LLYFRAU? BLE MAE BARRI A BLODWEN? AC YN BWYSICACH...
BLE MAE BOC?

Y Mabinogi
Pedair Cainc y Mabinogi yw straeon hynaf Cymru, ond mae'r anturiaethau wedi eu cymysgu gyda'i gilydd i gyd! Welwch chi Bendigeidfran y cawr?
Branwen yn ei thŵr? Blodeuwedd, y ferch o flodau? Bydd angen i chi hefyd ffeindio llyfr, fel bod Boc yn gallu teithio trwyddo i'r byd nesaf. Boc?
Ble Mae Boc?!
GWALE

LLUNDAIN
HARLECH

Dinas Dan y Dŵr
Mae chwedl Cantre'r Gwaelod yn sôn am deyrnas a ddiflannodd i'r môr… Ond, edrych, mae'r bobl i gyd yn ddigon hapus gyda'u bywydau newydd o dan y don. Gobeithio bydd y llyfr nesa'n sych. A gwylia'r siarcod, Boc! Boc?
Ble Mae Boc?!

Pentref yr Hwiangerddi
Waw! Dyma le rhyfedd i fyw – mae cymeriadau'r holl rigymau dwl a'r hwiangerddi wedi eu cymysgu'n un dorf ryfedd. Sawl un allwch chi ei adnabod? Jac-y-do ar ben y to? Gafr wen wen wen? Hen fenyw fach Cydweli? A beth am ein ffrind bach ni?
Ble Mae Boc?!
ABERDÂR
LLANDEILO
LLANDYBIE
BREST
PEN
COED
LOSIN
DOWLAIS
YSGOL
10 am Ddinau
AR WERTH

YSGYRYD
TY BACH TWT
y FENN
AR WERTH
SIL
LLANSANFFRAID
LLUNDAIN
TOOL
I'R DRE
BIL
NÔL
MIAWW HEDD

Teyrnas y Tylwyth Teg
Mae Boc bach wedi mynd yn llai fyth er mwyn ymweld â dathliad arbennig ym myd cudd y tylwyth teg yn y goedwig. Ymhlith y coblynnod, y corachod, y bwbachod a'u ffrindiau, mae yna ddraig fach fach.
Ble Mae Boc?!

Yr Helfa Fawr
Mae Boc wedi ei thynnu i mewn i fyd stori Culhwch ac Olwen, lle mae'r Brenin Arthur a'i farchogion ar ras yn helpu Culhwch i gyflawni rhestr hir o dasgau amhosib, gan gynnwys ymladd cewri, ffeindio trysor, a hela'r mochyn enfawr, y Twrch Trwyth. Dim ond un dasg sydd gyda chi – ffeindio'r ddraig fach...
Ble Mae Boc?!

Ynys yr Ifanc
Roedd Boc wedi clywed am Dir na n'Og, yr ynys hudolus, brydferth yma dros y môr lle does neb yn tyfu'n hen…
Ond doedd hi ddim yn disgwyl i'r bobl fod mor ifanc â HYN! Yng nghanol y losin a'r balwnau a'r napis llawn…
Ble Mae Boc?!

Sw Angenfilod
Does yna'r un wlad â mwy o straeon am greaduriaid rhyfeddol – o'r Pwca bach direidus i'r Afanc a'r Gwiber dychrynllyd, heb sôn am Lamhigyn y Dŵr, sef broga mawr sydd ag adenydd! Maen nhw i gyd i'w gweld yma yn y sw fwyaf rhyfedd erioed! Ond mae 'na un creadur bach yma'n ymweld am un diwrnod yn unig…
Ble Mae Boc?!
CROESO I'R BWYSTFILARIWM
PLÎS PEIDIWCH Â BWYDO'CH PLANT I'R ANGENFILOD.
Sarff ddŵr
Cath Palug
Tocynnau
croeso

aadion.
CAWR
gwyll-
ion
oblynnod
aderyn
corff
BALWNAU

Arswyd Annwn
Croeso i'r Is-fyd, yr Arall-fyd, y Rhyfedd-fyd! Mae popeth yma wyneb i waered, a phob dim yn ddu a gwyn, hyd yn oed dreigiau bach.
Yn gyflym, dewch o hyd i'r llyfr nesa fel ein bod ni'n gallu mynd o 'ma! Heb anghofio Boc...
Ble Mae Boc?!

Cwm y Cewri
Mae mynyddoedd a dyffrynnoedd Cymru'n frith o straeon am y cewri enfawr oedd yn arfer teyrnasu yng nghanol y creigiau mawrion…
Ond mae'r fyddin dwp yma o helwyr cewri yn methu'n lân â dod o hyd iddyn nhw. Ble mae'r holl gewri? Ble mae'r llyfr?
Ble Mae Boc?!

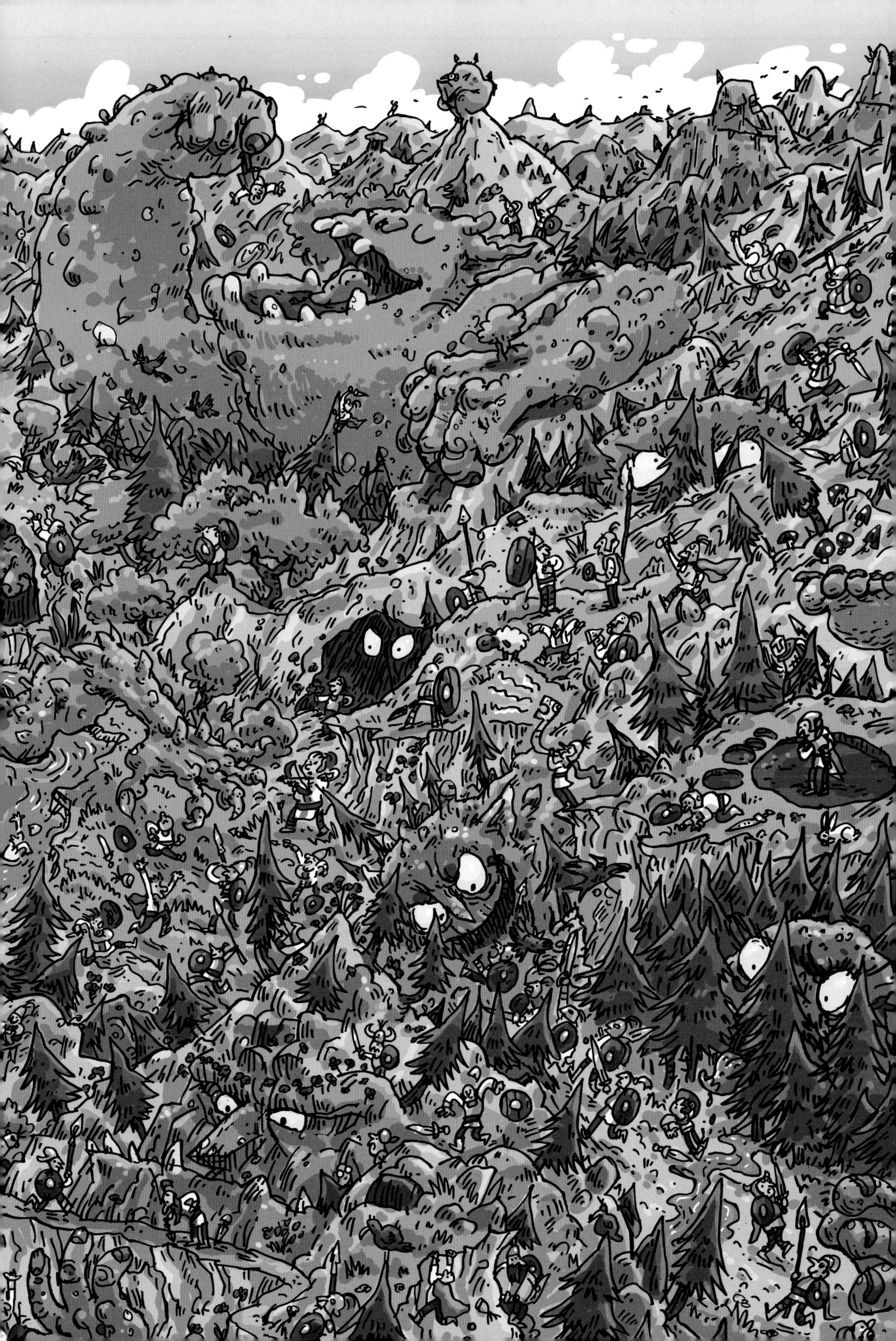

Parti Llyfrau Plant
Mae chwedlau newydd yn cael eu creu o hyd gan awduron a darlunwyr, ac mae cymeriadau wedi dianc o'u llyfrau i ddathlu gyda'i gilydd!
Pa wynebau cyfarwydd allwch chi eu gweld? Beth am yr hen Barri a Blodwen ddrwg? Ac ai *dyna'r* llyfr fydd yn dod â Boc adre o'r diwedd? Hei…
Ble Mae Boc?!

CWM
Rhyd y
BLE MAE BOC?

FELLY...
BOC! HWRÊ! TI'N SAFF!

OND BETH AM YR HEN BARRI A BLODWEN CAS?

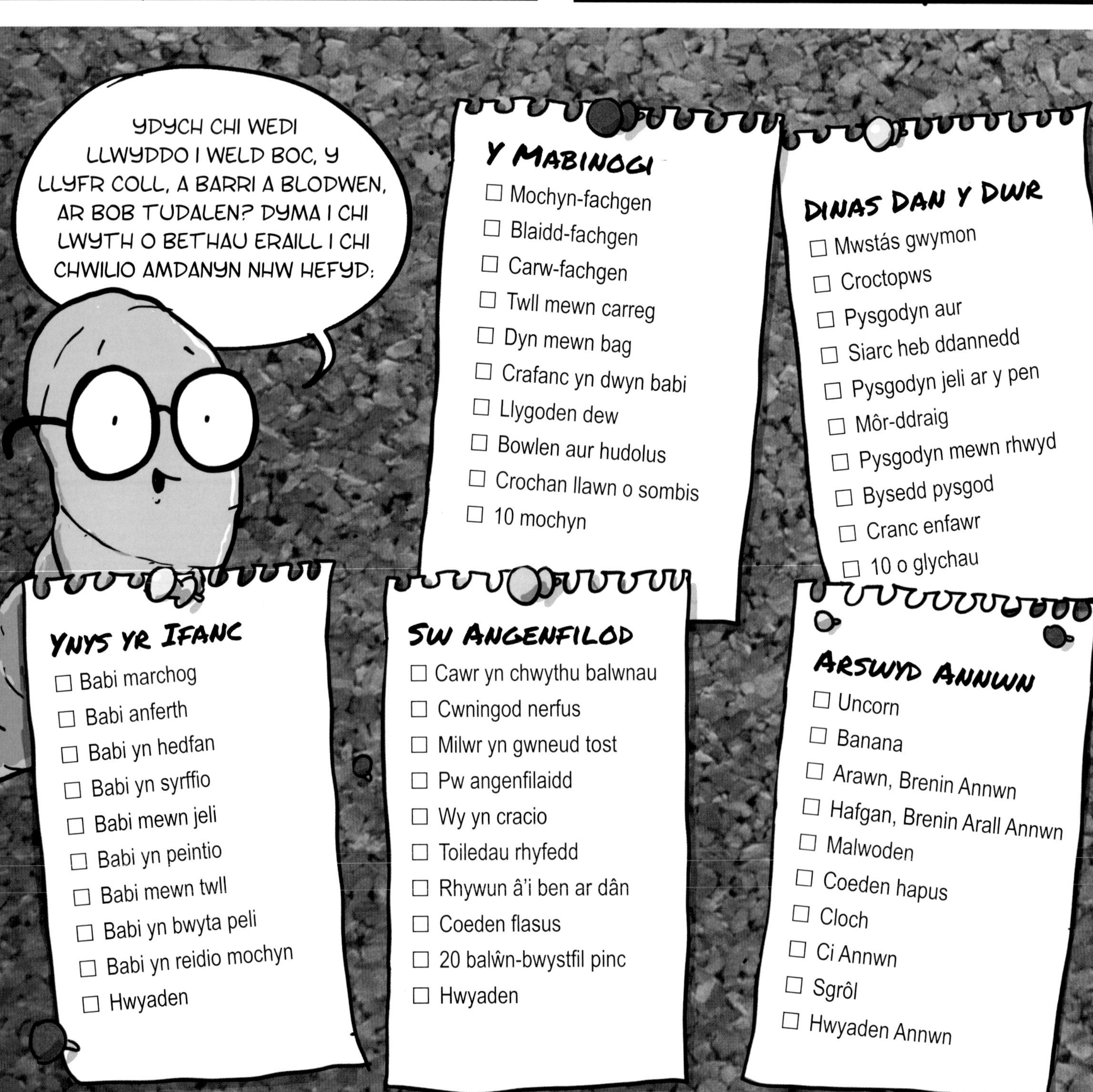
YDYCH CHI WEDI LLWYDDO I WELD BOC, Y LLYFR COLL, A BARRI A BLODWEN, AR BOB TUDALEN? DYMA I CHI LWYTH O BETHAU ERAILL I CHI CHWILIO AMDANYN NHW HEFYD:
Y MABINOGI
☐ Mochyn-fachgen
☐ Blaidd-fachgen
☐ Carw-fachgen
☐ Twll mewn carreg
☐ Dyn mewn bag
☐ Crafanc yn dwyn babi
☐ Llygoden dew
☐ Bowlen aur hudolus
☐ Crochan llawn o sombis
☐ 10 mochyn
DINAS DAN Y DWR
☐ Mwstás gwymon
☐ Croctopws
☐ Pysgodyn aur
☐ Siarc heb ddannedd
☐ Pysgodyn jeli ar y pen
☐ Môr-ddraig
☐ Pysgodyn mewn rhwyd
☐ Bysedd pysgod
☐ Cranc enfawr
☐ 10 o glychau
YNYS YR IFANC
☐ Babi marchog
☐ Babi anferth
☐ Babi yn hedfan
☐ Babi yn syrffio
☐ Babi mewn jeli
☐ Babi yn peintio
☐ Babi mewn twll
☐ Babi yn bwyta peli
☐ Babi yn reidio mochyn
☐ Hwyaden
SW ANGENFILOD
☐ Cawr yn chwythu balwnau
☐ Cwningod nerfus
☐ Milwr yn gwneud tost
☐ Pw angenfilaidd
☐ Wy yn cracio
☐ Toiledau rhyfedd
☐ Rhywun â'i ben ar dân
☐ Coeden flasus
☐ 20 balŵn-bwystfil pinc
☐ Hwyaden
ARSWYD ANNWN
☐ Uncorn
☐ Banana
☐ Arawn, Brenin Annwn
☐ Hafgan, Brenin Arall Annwn
☐ Malwoden
☐ Coeden hapus
☐ Cloch
☐ Ci Annwn
☐ Sgrôl
☐ Hwyaden Annwn

Pentref yr Hwiangerddi

- ☐ Gafr wen wen wen
- ☐ Y gwynt i'r drws bob bore
- ☐ Mochyn bach ar y stôl
- ☐ Dau gi bach
- ☐ Milgi Milgi
- ☐ Morio mewn padell ffrio
- ☐ Pwsi Meri Mew yn cario tân
- ☐ Y bryn lle tyfodd y pren
- ☐ Ji geffyl bach
- ☐ Holl anifeiliaid y goedwig

Teyrnas y Tylwyth Teg

- ☐ Coblyn yn cael coblyn o sioc
- ☐ Babi tylwythen deg
- ☐ Neidr cantroed
- ☐ Coblyn yn casglu aeron
- ☐ Mwyar duon blasus
- ☐ Het dal iawn
- ☐ Coblyn tri llygad
- ☐ Coblyn gyda het las
- ☐ Mesen-berson
- ☐ Wyneb yn pipo trwy ffenest

Yr Helfa Fawr

- ☐ Dilys Farfog a'i barf hir
- ☐ Culhwch a'i restr o dasgau
- ☐ Olwen yn gadael ôl gwyn
- ☐ Anifeiliaid hynaf y byd
- ☐ Cawr yn colli ei ben
- ☐ Cawod wenwynig
- ☐ Ci enfawr
- ☐ Dyn yn reidio pysgodyn
- ☐ Bachgen mewn cist
- ☐ 10 morgrugyn

Cwm y Cewri

- ☐ Dafad anferthol
- ☐ Ôl traed cawr
- ☐ Tarian mawr a tharian bach
- ☐ Heliwr yn cysgu
- ☐ Cawr gyda brech yr ieir
- ☐ Heliwr yn cael lifft gan eryr
- ☐ Tafod cawr
- ☐ Heliwr yn dal blodau
- ☐ Heliwr gyda chlogyn oren
- ☐ Hwyaden

Parti Llyfrau Plant

- ☐ Rwdlan
- ☐ Sali Mali
- ☐ Na Nel!
- ☐ Alun yr Arth
- ☐ Superted
- ☐ Miss Prydderch
- ☐ Sam Tân
- ☐ Gwil Garw
- ☐ Cyw
- ☐ Wil Cwac Cwac

EISIAU MWY? BETH AM DRIO DOD O HYD I'R 10 LLYFR YMA YMYSG Y RHAI SY'N DISGYN YM MLAEN AC YNG NGHEFN Y LLYFR YMA?

AC YN OLAF - OS EDRYCHWCH YN OFALUS, FE WELWCH FY MOD I WEDI BOD AR ANTUR TRWY'R CHWEDLAU HEFYD!

HAPUS CHWILIO!

SLOB A BLOB
HELÔ BLANT BACH
TEYRNAS Y TYLWYTH TEG
YNYS YR IFANC
LLYFR PINC NEB
CYSGOD Y CAWBAN
DANIEL AWEN
Y BWBACH
ANGENFILOD CYMRU
LOL
Afallon
CWM Y CEWRI
Y CWYMP
JIMI PEN GLÔ
TEULU NANT POETH
RALI'R GOFOD

Wedi joio chwilio am Boc?

Dilynwch ei hantur gyntaf yn *Ble Mae Boc*? Teithiwch dros Gymru gyda'n draig fach hoffus, trwy olygfeydd difyr a doniol, a thros 250 o bethau i'w ffeindio!

Ar gael o'ch siop lyfrau leol, neu

www.ylolfa.com